2

Twm Morys

2

Cyhoeddiadau Barddas 2002

ISBN 1 900437 48 1

Y mae Cyhoeddiadau Barddas yn gweithio gyda chefnogaeth
ariannol Cyngor Celfyddydau Cymru, a chyhoeddwyd
y gyfrol hon gyda chymorth y Cyngor.

Cyhoeddwyd gan Gyhoeddiadau Barddas
Argraffwyd gan Wasg Dinefwr, Llandybïe, Sir Gaerfyrddin

i
Sioned Wyn

CYNNWYS

CYFLWYNIAD
GAN YR ATHRO NEIL SAGAM

Mae gwell na saith mlynedd er pan gyhoeddwyd *Ofn Fy Het*, sef llyfrau nodiadau fy ymchwil i i dreigliad meddwl y bardd sâl hwn. Yr oedd cyfrol fwy academaidd wedi ei chyhoeddi eisoes ar sail y rheini, sef *I'm Sick With Bardic Boredom*. Roedd honno yn garreg-filltir yn y maes, fel y gŵyr y seico-semantwyr yn eich plith. Nid canmol yr ydwyf, ond dywedyd y gwir.

Ond nid wyf eto wedi olrhain y treigliad hyd y pen. Bydd peth wmbredd o froc môr yn hel ar draeth mewn saith mlynedd, a thocyn mawr o nodiadau ar ddesg seico-semantydd! Y rhain fydd sail fy ail gyfrol bwysig, fydd yn ymddangos cyn hir o dan y teitl *Mouse in The House in Your Head*. Ond fel tamaid i aros pryd, neu fel bwyd llwy i'r lleygwr, dyma fentro cyhoeddi fy nodiadau, yn union yr un fath â'r tro diwethaf, yn gwbl anhroednodedig.

Unwaith eto, bu'n rhaid hepgor rhai pethau, yn bennaf oherwydd eu natur enllibus y tro hwn. Y mae awdl gyfan i ryw 'Iâr Fôn Wyn' mewn hen focs tun (y 'Gist Aur', chwedl y beirdd) mewn tafarn mewn tref heb fod yn bell o'r môr mewn sir rhwng Meirionnydd a Phenfro. Bu'n rhaid imi astudio hon fel rhan o'm hymchwil, fel holl baldaruadau'r claf. Pan ddeuthum at y 'wig yn reit unig draw ar y tonnau', bron na chlywn i law drom y gyfraith ar fy ysgwydd innau.

Anaml iawn y bydd y bardd yn galw yn y clinic y dyddiau hyn. Rhy brysur ydyw, meddai, yn gwneud 'gwaith cymunedol'. Duw a ŵyr beth yw ystyr hynny'n iawn, ond mae a wnelo, yn sicr saff, â rhyw newid mawr yn sŵn y paldaruo yr wyf wedi sylwi arno fo yn ddiweddar. Gwelaf fod cryn wyth o bethau'r dyn wedi eu cyfieithu i'r iaith Jecoslofaceg mewn cyfrol yn dwyn y teitl *Drak má dvojī jazyk* (periplum, 2000). Ac er nad yw fy Tsiec cystal, efallai, ag y bu, cefais flas ar gyfieithiadau meistrolgar Edita Drozdová o'r wyth darn. Yr hyn a *enillir* wrth gyfieithu yw barddoniaeth ambell waith! Ond oddi ar hynny, bu'r bardd yn gwrthod yn chwyrn unrhyw gynnig i'w gyfieithu. 'Gwell bod Cymro'n Eifionydd,' chwedl yntau, 'nag ar y daith i Gaerdydd'. Ac er bod yma ambell gerdd yn sôn am deithio'r gwledydd (ond ydyw'n braf ar y beirdd, dywedwch?), y cwbl y bu'n ei wneud ers tro byd yw rhaffu englyn-ion ac 'awdlau' am bobol a phethau yn ardal Eifionydd.

Cymerwn, er enghraifft, yr englynion i Beryl Povey (t. 19), rhyw ddynes y bydd yn cael wyau ganddi. Nid yw crefft cerdd, fel y gwyddoch, nac yma nac acw i'r seico-semantydd. Ystyr a synnwyr yw'n pethau ni. A hyd y gwelaf i, nid yw hon fawr mwy nag un rhibwd o enwau o'r *Rhestr o Enwau Lleoedd* (Caerdydd, 1958). Eto, mae'r bardd yn mynnu bod ynddi ystyr amgenach. 'Beth ydi arwyddocâd y Dodo yn Ardudwy?' gofynnodd. Creulon fyddai dweud fy marn yn onest, sef mai er mwyn y gynghanedd y llusg-wyd y ddau enw ynghyd. Ni fu *Raphus cucullatus* erioed yng Nghymru, wrth reswm pawb. Dyna chi wedyn yr 'awdl' fer i ryw adeiladwr barfog o'r enw Dewi (t. 20). Nid er mwyn cael odl yr ystumiwyd y gair 'bore' ar ddechrau'r englyn clo, meddai'r bardd, ond er mwyn rhoi mymryn bach o flas yr iaith lafar ar y gerdd. Ac nid o dan ormes y gynghanedd, meddai, y gollyngodd y llinell hurt 'i wneud niwl yn dai i ni'. O, nage. Meddwl yr oedd am y niwl hwnnw a ddisgynnodd am bennau Pryderi a Rhiannon a Manawydan a Chigfa yn nhrydedd gainc y Mabinogi:

> 'Dyma gawod o niwl yn dod, nes oedden nhw'n methu gweld ei gilydd. Ac ar ôl y niwl, dyna bob man yn goleuo. A phan edrychasant draw lle bu'r preiddiau a'r tai annedd cynt, doedden nhw'n gweld dim oll, na thŷ nac anifail, na mwg na thân, na dyn na chyfannedd, heblaw tai'r llys, yn wag ddiffaith anghyfannedd . . .'

Mae hyn i gyd yn ddŵr mawr i'm melin seico-semantaidd i, wrth gwrs. Ond nid yw'n argoeli'n dda i neb arall. Symptomau eithaf brawychus, a dweud y gwir, yw galw wy yn 'Gymro i'r carn', a dyrchafu bildar cyffredin yn wron Mabinogaidd.

Gair am eirfa. Unwaith eto, yr iaith lafar fras yw iaith y rhan fwyaf o'r cerddi. Soniais eisoes am yr erchyll 'bora'. Beth wnawn ni wedyn o'r gair 'ffrymu' yn deitl ar gywydd (t. 41)? 'Offrymu' sy'n gywir, debyg iawn. Ond 'wedi'u ffrymu', honna'r bardd, roedd yr hen bobol yn ei ddweud i egluro pam na welai neb y Tylwyth Teg mwy, sef *exorcised*. Camp ichi gael hyd i'r gair yng Ngeiriadur Bruce. A dyna'r gair 'llambedyddiol' yn y rhigwm 'Diwrnod Cneifio yn Enlli' (t. 36). Llurguniad hyll tafodieithol o'r enw cyffredin 'llamhidydd' ydyw. Ond sylwch fel mae'r bardd wedi treisio gramadeg yr Iaith Gymraeg hefyd drwy ei droi yn ansoddair!

Beth wedyn am gerddi cadair Tyddewi? Fe ddaeth y bardd yn ail, yn ôl y sôn, am y gadair odidog honno. Efallai nad cwbl amherthnasol yn y cyswllt hwn yw bod y dyn yn aros o dan yr un to ag un o'r beirniaid yn ystod yr Eisteddfod, ac yn cyd-swpera ag ef, gimwch-yng-nghimwch, yn nhai bwyta Solfach. Ta waeth am hynny, cyn i mi gael gafael ar y cerddi, roedd y diawl wedi rhoi hetiau gwirion am eu pennau, fel na fedrai neb eu hadnabod. Yn yr un modd, gwrthododd yn lân â dweud wrthyf pa gerddi a fwriadwyd ar gyfer plant, a pha rai ar gyfer pobol. 'Rhai bach a mawr o'r un rhywogaeth ydyn nhw,' meddai.

Dywedodd un beirniad dro'n ôl bod disgwyl pethau mawr oddi wrth y bardd cyn tro'r Milflwyddiant. Ond un o agweddau ei seicosis yw ei fod yn tynnu'n groes bob gafael. Dywedwch wrtho am droi i'r dde, ac fe â i'r chwith. Dywedwch wrtho am beidio â rhoi het am ei ben, ac fe rydd dair. Dywedwch wrtho bod disgwyl pethau mawr oddi wrtho cyn tro'r Milflwyddiant, ac fe wna bethau bychain erbyn cyfarfod nesaf cylch llenyddol Llanystumdwy.

Pan euthum i edrych amdano ddoe i ofyn a hoffai fwrw golwg dros yr ychydig eiriau hyn, fe gefais y drws yn agored, a darn o bapur ar lawr, ac ar hwnnw'n sgrifenedig:

> Nid wyf i mewn. Rhaid fy mod
> Ar y lôn. Mae'r drws ar led.
> Ar y bwrdd, o bethau'r byd,
> Mae pin gloyw a map o'n gwlad.

A oes syndod ei fod mor gyndyn o gyfieithu ei bethau i'r Saesneg? Hawdd swyno mil. Anos twyllo tri chan miliwn.

O'm llyfrau nodiadau i y codwyd pob peth yn y gyfrol. Ond diolch yr un fath i *Barddas*, *Taliesin*, Gwasg Carreg Gwalch, y BBC, a Pharc Cenedlaethol Eryri am gael cyhoeddi eto ambell gabalatsiad a phaldaruad, ac un neu ddau o gabardduliadau, a gomisiynwyd ganddynt o bryd i'w gilydd.

RHAGAIR

Nid unwaith mae'n taith, ond hyd yr adeg; tra bo'n traed yn symud, tra bo awch, tra bo iechyd, a thra bo iaith orau'r byd.

Da gweld yr holl gychod gwyn yn tynnu yn eu tennyn, a stŵr harbwr o hirbell ar y gwynt. Ond llawer gwell naid wib efo Sioned Wyn, dros Lyn Dulyn, Llandeilo, a Rhyd y Meirch, a Rhyd y Main, a Chyrn y Brain, a Charno, a Llyn Hir, a Llanharan, Llyn Aran, Llanwynoro, Llanbêr a Phont y Berem, Salem, a Llandysilio, a'r Rhigos a Llandrygarn, a Matharn a Moel Smytho, Llan Bryn Mair, a Phedair Ffordd, y Geuffordd, a Llangaffo, y Frenni Fach, a Thafarn Faig, y Neraig, a Bryn Arro. Naid bêr, a minnau'n gleryn. Dau well efo Sioned Wyn.

Go brin, dybiwn, yr enillwn i hon yn ei hôl â gweddi. Ond yn ei hôl, dyna hi.

Dwynwen, diolch amdani!

Twm Morys, Trefan, Tachwedd 2002

DOD ADRE

Blinais ar wib olwynion
Yn cyrchu, laru ar lôn
Wledydd y byd o lydan
Y bûm i arni 'mhob man;

Lôn y geiniog, lôn ganiaith,
Fil o ganeuon o faith;
Lôn o wely anwylyd
At ddŵr rhyw harbwr o hyd . . .

Yma'n y clawdd, mae'n culhau
Yn un nodyn, un edau,
Yn ben taith, a chrib un tŷ
'N y golwg, yn un gwely.

I GERAINT PARRY, TREFAN

Rhwyfo mae pawb yn Nhrefan,
A dŵr llwyd dros doeau'r Llan,
A chyrn Bryndu yn rhuo,
A'r goetsh fechan o dan do.

Yn y gwynt mae dyn, a'i gi
Ar waedd yn bwrw iddi.
Ac mae'r hen frasgamu rhwydd,
A'r osgo sydd i'r ysgwydd,

A'r ci main, a'r cwmanu,
Yr un fath â'r hyn a fu:
Rwy'n gweld yr hen Owen gynt
Yn Nhrefan ar aeafwynt.

I DAFYDD YNYR PARRY,
CEFN BRYNDU

Byw mewn niwl y buom ni
A Mai'n ddirigwm inni,
Heb weld y môr blodau mân,
Na gwenoliaid gwên Elan.

A heb wrando 'Nghefn Bryndu
Ar y stŵr yn nrws y tŷ;
C'wilydd mawr, i lawr y lôn,
Na wyddem ni'r newyddion:

Parry bach yn peri bod
Yn Nhrefan wên yr hafod;
Y mae oes arall i'w mur
O eni Dafydd Ynyr.

Mae'r dail yn rhigwm, a'r dydd
Yn fwynach yn Eifionydd.

HET ELAN

A'r rhewynt cas yn rhuo,
A'r cŵn hyd Fryncir o'u co',

A neb call yn mynd allan
A baw a mwd ym mhob man,

Dyna het yn landio'n hy
O'r Andes yng Nghefn Bryndu.

Nid un dal fel ers talwm,
Nid un blaen, wastad yn blwm;

Mae hon yn het i'w mwynhau,
Het fel adar, het flodau,

Het ysgafn, het yn tasgu,
Allan o blwm, llawn o blu,

Het wlân i Elan, het ŵyn,
Het i wenu, het wanwyn!

I BERYL POVEY, PEN SARN,
I DDIOLCH AM WYAU

(Melynwy y Mileniwm)

Ym Mhen Sarn mae hanes wy. – Maen nhw'n sêr
    Ym Mhen Sarn am ddydwy;
   Wyau Môn, wyau Mynwy:
   Ni fu'r un â melyn mwy.

Mae 'na ieir yn nhre' Cleirwy. – Mae 'na ieir,
    Am wn i, 'Nglynebwy;
   Cywennod yn Nant Conwy;
   Yng Nghelyn roedd un neu ddwy.

Iâr ar draeth, iâr ar drothwy, – iâr yn Llŷn,
    Iâr yn Llanystumdwy,
   A iâr yn Llechgyfarwy,
   Iâr y plas, a iâr y plwy.

Iâr mewn ŷd, iâr mewn adwy, – iâr o Went,
    Iâr wyllt Dinas Mawddwy,
   Iâr wirion Carreg Ronwy,
   Iâr iach y wlad, iâr â chlwy.

Hen iâr fain yn Nhrefynwy, – iâr denau
    Ar dwyni Deganwy,
   Iâr y Dodo'n Ardudwy:
   Fel lliwiau'r iâr, felly'r wy.

Wy o'r fro, Cymro i'r carn; – wy ysgafn,
    Wy â phlisgyn cadarn;
   Rhyw wy o aur a haearn:
   Mae hanes un ym Mhen Sarn!

I DEWI VAUGHAN PRITCHARD
O'R GARN

Yn ferfa o ddyn, yn farfog,
Yn fawl i gyd, fel y gog
Ar ôl glaw, y daw Dewi
I wneud niwl yn dai i ni.
Dewin yw am dŷ newydd,
Gwneud tŷ o'r beudy y bydd,
Tŷ i fwrw oes, tŷ o fri,
A'r cerrig o Dre'r Ceiri.
Mi wneith o dŷ mewn wyth dydd,
A gwneud to rhag naw tywydd.
Gwneud tŷ i'r hen Gymry gael
Byw 'ma wedyn heb 'madael.
Gwneud tŷ, wedi carthu côr,
Addas i fab Llecheiddior.

O Lecheiddior bob bora, – daw sŵn braf,
    Nid sŵn brain yn cega,
  Ond chwerthin y Dewin da
  A'i farf yn llond y ferfa.

BARF DEWI

Barf hardd fel berfa yw hi, – un eitha'
    I nythu o dani,
  Locsyn sy'n fy nychryn i,
  Fel un Duw o flaen Dewi.

Dewi a'i farf fawr dywyll,
Dyn â'i wep i gyd yn wyll,
Dyn â'i drwyn mewn rhyw lwyni,
A dyn hawdd o hyd i ni
Ei nabod, a nyth pioden
Neu din arth o dan ei ên.

Mae dan ei ên goeden gyll – gysgodol,
Llwyn i'r bobol, gwell na rhyw bebyll.
Os wyt ar ryw bignos hyll – heb yr un,
Dos i ofyn a gei di sefyll,
Rhag i wynt iasoer y gwyll – dy rewi,
Efo Dewi dan ei farf dywyll.

Barf dywyll yw barf Dewi,
Barf addfwyn, barf fwy na fi,
Barf ddu, a barf ddi-wahardd,
Barf hir fel wiwer, barf hardd.

I BOB A GWEN PARRY,
CILIAU

Daethom yn drist o'r Pistyll,
Trwy gaeau'r saint, a'r gors hyll.

Dŵr oer, fu'n ddigon i droi
Hen ferlod bach yn forloi,

A tho yn gêl, a thŷ'n gwch,
A brân yn wylan, ylwch!

Mewn dŵr y daethom ni'n dau
I olwg cwch y Ciliau,

A chlên fu capten y cwch
A'i gymar wrth ddau gimwch!

DIOLCH AM LUN

(i Ceiri)

Mae llond llun o'ch hogyn chi!
A llawn fydd Pistyll leni
O luniau mab ar lan môr
A'i fabinogi'n agor:
Lluniau mabsant plant y plwy'n
Rowlio ar ei dair olwyn.
Yna'i lun fel dyn deunaw
A'i drem tua Nefyn draw.
A llun y tad â llond tŷ
Ei hun toc wedi hynny;
Llun gŵr yn llawn o gariad,
A dyn o Lŷn yn ei wlad
Yn gwneud ei ran, ac yn driw:
Hawdd ei ddarogan heddiw!

Heddiw mi glywais weiddi – ei enw
 Gan wylanod Enlli;
  Hwn yw'r cawr yn Nhre Ceiri:
  Mae llond Llŷn o'ch hogyn chi!

23

I GWENAN A BRYN

Cyn y niwl yn y coed cnau,
Cyn adeg medi'r cnydau,

A gwneud tân y gaea'n tŷ,
Cyn i'r rhedyn gael rhydu,

Cyn rhwymo cŵn y rhamant,
Mae 'na ŵyl yma'n y Nant.

Roedd heddiw'r bore ddeuddyn:
Yma'n y Nant, maen nhw'n un.

Dos, Gwen, at y goeden gau,
A'i rhwygo'n gyff a brigau,

A thorri'r felltith ddyrys,
Er mwyn rhoi Meinir i Rhys.

I JOHN WILLIAMS,
GARREG WEN

Mae'n siŵr bod Môn yn siarad
Yn ei glust fel rhyw gorn gwlad
Wrth docio, neu drwsio drws,
Neu dwtio'r winllan datws,
Neu halio dŵr, neu hel dail,
Neu arafu'n yr efail;
Liw nos, a fyntau'n glanhau
Ei gêr, daw'r deiliach geiriau
O hen sgwrs yr ynys gynt:
Hen ddweud Penmynydd ydynt.
Geiriau call, miniog o'r cylch,
O'r ymgom fawr o amgylch
Bwr' y tŷ, a'i libart o'n
Wyrddach na chae'n Iwerddon.
Maen nhw'n hel mewn corneli
Ym Môn o hyd, am wn i.

Mi wn-i pam mae enw – rhyw hen arf
    Neu eirfa hen wladwr
  Mor hardd yng nghlust y garddwr:
  Am mai'i dad sy'n siarad, siŵr.

I MAIR GLAN 'RAFON

Heddiw (ers ambell flwyddyn),
Mewn llofft mewn tŷ-ffarm yn Llŷn,
Cyn i wynt ysgwyd y cnau,
Adeg naid y gwyniadau,
Ganwyd hon, ac yn y tŷ
Gwyn yr oedd dau yn gwenu,
A bu lamp drwy'r gaea' blin,
Golau i Edward ac Elin . . .
Mae tân braf yng Nglan 'Rafon,
A serch bod eu merch ym Môn,
Daw'r sêr, toc, hyd Roshirwaun
Yn rwbal aur, fel o'r blaen;
Ar y Penrhyn Melyn mae
Ei henw'n wynt a thonnau;
O Giliau, o Fugeilus,
Heibio i'r Aifft irlas, o Brys,
O odre Cuwch a Madrun,
Bloeddio mae pob llo yn Llŷn . . .
A hon yn dathlu heno'n
Llanbedr Goch, efo moch Môn!

I WIL SAM JONES

Cawr y geiriau, cyw'r garej,
Yr hyna' 'rioed, o ran rej.
Hen uffernol, bobol bach,
Ond ifanc, fel dŵr Dwyfach.
Wyth-deg-un yw'r dyn doniol,
A chriw yn llwch ar ei ôl.
Mae hwn yn goblyn am hel
Achau pob lamp ac echel
Yn y cwt nad ydyw'n cau,
Brenin yr hen beiriannau.
Un gwyllt am y Rolsyn gwâr,
Un hapus yn trin Hopar;
Un diddig yn ei Dyddyn,
Yn dlawd fel ffeiriad o Lŷn;
Gwell bod Cymro'n Eifionydd
Nag ar y daith i Gaerdydd.
Aed arall ar lôn gallach
Na lonydd Eifionydd fach,
I Gaerdydd, â'i sigâr dew,
I'w dŷ crand, i'w fyd croendew.
Mae Wil Sam, y dyn drama'n
Risla o ŵr yn Rhoslan.
Dyn y cwt nad ydyw'n cau,
Cyw'r garej, cawr y geiriau.

I ELIS GWYN

Dyn rhwyd, a'i wallt o'n rhedyn, – a llwynog
  Bach llon iddo'n locsyn;
  Dyn cwch, o hyd yn cychwyn
  O'r tŷ'n wyllt, a'r tonnau'n wyn.

Y tonnau'n wyn, a'r gwynt yn well – na llwch
  Ar hyd llawr ystafell,
  Dyn y caeau, dyn cawell,
  Dyn â bwyd heb fod yn bell.

Yn bell i ganol y bae, – a morloi
  Fel merlod yn chwarae,
  Eith â'i gwch yn syth i gae
  Glas glas y tiwnas tenau.

Dyn tenau â dant hynod – at Ginus,
  Ac at gŵn a chathod,
  Dyn o'r Llan, y balcha'n bod,
  Llydan fel rhwyd y lledod.

I IFAN GWYN

Mae'n Fai arnom ni i fod,
Yn eithin ac yn nythod,
Yn ddail derw, yn erw irwair,
Yn stŵr gwynt cynnes drwy'r gwair.
Ond rhyw sŵn cwteri sydd,
Llond awyr Llŷn o dywydd,
A daw'r gwynt a'r derw i go',
Sŵn y derw'n ymdaro . . .
Nid wyf yn honni y daeth
Yn niwl ar y ddynoliaeth.
Dweud yr wyf fod glan Dwyfor
O Lyn Meirch i lan y môr
Yn wlad o fewn gwlad, bod glan
Dwyfor yn wlad i Ifan,
A bod glan Dwyfor â bedd
Arall, a Mai'n oferedd . . .

Yn Llydaw, a'r holl wledydd – bychain bach,
   Yn bell ym Meirionnydd,
  Mae'n Fai. Ond yma ni fydd:
  Ifan Ty'n Llan sy'n llonydd.

R.S.

Mae'r hen wynt fu gynt o'i go'
Heddiw drwy'r Rhiw yn rhuo,
A sŵn y derw'n y don
A dyrr yn Aberdaron.
Mae hi'n dymor mynd o'ma
Ar holl wenoliaid yr ha'.
Ond mae'r adar yn aros
Ar y graig arw a'r rhos.

Be' welodd yr hac boliog – o Lundain,
    A landiodd mor dalog?
  Nid brenin ar ei riniog,
  Nid dyn trist, a'i Grist ar grog,

Ond dyn gwyllt, fel dewin o'i go'. – Hyll iawn
    Yw'r lluniau ohono:
  R.S. sych yn ei ddrws o,
  Ac R.S. oer ei groeso.

R.S. yn oer ei groeso?
Nid i'r un o'i adar o!
Carai ei wraig, carai win,
Carai'r ifanc, a'r rafin,
A charai holl drwch yr iaith,
Ei hofarôls, a'i hafiaith . . .

Bu'r gwaith, a'r bara a'r gwin
Olaf ym Mhentrefelin,
Ac mae'r gwynt drwy Gymru i gyd,
Manafon, a Môn hefyd.
Ond mae'r adar yn aros
Ar y graig arw a'r rhos.
Aros byth, R.S., y bydd
Adar mân dewr y mynydd.

CROESAWU
EISTEDDFOD YR URDD

Cyn bod sôn am Eifionydd
Dôi haul dros y Garn bob dydd,
Roedd Mai yn wallgofrwydd mwyn,
Roedd gwin ym mhridd y gwanwyn,
Roedd adar mân yn canu'n
Y lliaws dail cyn llais dyn.
Canai Dwyfor cyn dyfod
Y beirdd, a chyn i feirdd fod
Roedd Llŷn, achos hŷn yw hi
Na'r cerrig yn Nhre'r Ceiri,
A hŷn na'r delyn yw'r don
A dyrr yn Aberdaron.
A'r un hen Lŷn eleni
Â'i chorn sy'n eich galw chi:
Dewch i Lŷn, heidiwch i le
Sy'n hen fel sennau hanes,
A rhwygo'ch holl ddreigiau chi
Yn ddraig sy'n cynddeiriogi . . .
Mor gas y buom ar goedd
Yn addo ers blynyddoedd
Y daw adeg y dwedwn
'Digon!' wrth Saeson a'u sŵn.
Dewch chi, blant, i godi'ch bloedd
Â rhyfyg y canrifoedd,
I beri i Sais Abersoch
Gau'i ddwrn a gweiddi arnoch,
A daw'r wên nad yw ar werth
I wynebau Penyberth.

LLWYBR Y PLANT

O Lyn Meirch i lan y môr,
Mae lôn hyd afon Dwyfor,
Yn llwch ar sgidiau, yn lli,
Yn wyfynod, yn feini;
Yn garlam, yn llam i'r llyn,
Yn neidar, yn wyniedyn;
Yn waedd ar Allt y Widdan,
Yn grëyr mud, a gro mân;
Yn ddwylo bras, yn ddail brau,
Yn gerrig nâdd, a geiriau.
Ymdaith o Lanystumdwy,
Trywydd i blant o'r ddau blwy,
A'u mabinogi'n agor,
O Lyn Meirch i lan y môr.

GWYNEB DWYFOR

Mi welsom ni ei llygad
Yn y Cwm bach hardda'n bod,
A deall mai llawenydd oedd
Yn peri i'r dagrau ddod.

Mi welsom ni ei cheg hi,
A digon hawdd ei dallt
Yn clebran cyn i'r môr mawr drwg
Roi iddi gusan hallt.

Ond er chwilio yn y brwgaetsh
A chwalu yn y brwyn
O Lyn y Meirch i lan y môr,
Ni welsom ni mo'i thrwyn!

TOM TY'N RHOS

A glywsoch chi am Tom Ty'n Rhos
A dŵr yr afon 'd at ei glos,
Yn cwffio efo clamp o samon,
Ac yn gafael yn ei gynffon?

Hwn oedd y pysgodyn mwya'
Welodd neb ers morfil Jona.
Doedd y peth ddim llawer llai
Na phont y pentra, meddai rhai.

Roedd ganddo lygaid oer a chas
A chroen fel papur tywod bras.
Roedd ganddo geg i ddweud y drefn,
A Chnicht o asgell ar ei gefn.

Ond mewn â Tom i Lyn Maen Mawr
I gynnig brechdan bump i'r cawr.
Ac yno y bu'r samon a Tom Ty'n Rhos
Nes oedd hi'n llawer iawn o'r nos,

Yn cwffio na fu erioed ei debig,
Yn waldio'i gilydd ar y cerrig
Ac yn plymio bob hyn a hyn
O olwg pawb o dan y llyn.

Ond ychydig cyn y wawr,
Dyna Tom yn lladd y cawr,
Ac yn sodro'i gorpws o
Ar gastell Cricieth i wneud to.

7 RHYFEDDOD ENLLI

Y rhyfeddod cynta' welsom ni
Oedd braich Llŷn wedi taflu torth i'r lli.

Ac anferth o goeden oedd yr ail,
Yn streips i gyd a heb ddim dail.

Y trydydd oedd pymtheg o ddynion mawr tew
Yn gorwedd yn noeth, heblaw am eu blew.

Y pedwerydd oedd brain, yn chwerthin yn groch
Wedi peintio eu coesau a'u pigau nhw'n goch.

Deryn arall oedd y pumed, a hwnnw'n un hy,
Â'i nyth o dan ddaear fel twrch efo plu.

Y chweched oedd capel a hen hen weddi
Fel gwymon yn glynu'n y cerrig beddi.

A'r seithfed rhyfeddod? Bod y fath bethau'n bod
Ryw dafliad torth bach o lle 'dan ni'n dod!

DIWRNOD CNEIFIO YN ENLLI

Fel roedd y cwch yn dod i'r lan,
Mi glywn i frefu ym mhob man.

Mi es i at y ffarm, a sleifio
Heibio'r giât i'w gweld nhw'n cneifio.

Ac i'r mynydd â mi wedyn,
I freuddwydio yn y rhedyn.

Ond dyma ryw hen niwl yn codi
Fel tae dŵr y Cafn yn berwi,

A dyna chwalu, ar fy ngwir,
Y terfyn sydd rhwng môr a thir.

A dacw loeau yn y bae,
A'r cwch fel cimwch yn y cae.

A'r hen gorn llongau yn canu o hyd
Yr un fath â'r ceiliog mwya'n y byd.

A dôi'r gwenoliaid fesul tair
Mor llambedyddiol dros y gwair.

TOC

Am ba hyd
y pery'n byd
bach ysgwarnoglyd ni?

Daw sŵn y fwyell
o'r coed pell
i'm stafell ddistaw i.

Toc, mi dyrr
y geiriau'n fyr
ym murmur llawer man.

Toc, mi ddaw'r
peiriannau mawr
i godi llawr y llan.

Toc, mi fydd pob croeslon
â'i harwyddion
eto'n wyn.

Toc, mi fydd
y ffermydd
fel rhai llonydd yn y llyn.

Daw sŵn y fwyell
o'r coed pell
i'm stafell ddistaw i,

Yn tocio hyd
a lled ein byd
bach ysgwarnoglyd ni.

DARLLEN Y MAP YN IAWN

Cerwch i brynu map go fawr;
Dorwch o ar led ar lawr.

Gwnewch dwll pin drwy bob un 'Llan',
Nes bod 'na dyllau ym mhob man.

Cofiwch y mannau lle bu pwll
A chwarel a ffwrnais, a gwnewch dwll.

Y mannau lle'r aeth bendith sant
Yn ffynnon loyw yn y pant,

Lle bu Gwydion a Lleu a Brân,
Lle bu tri yn cynnau tân,

Y llyn a'r gloch o dano'n fud:
Twll yn y mannau hyn i gyd,

A'r mannau y gwyddoch chi amdanynt
Na chlywais i'r un si amdanynt.

Wedyn, o fewn lled stryd neu gae,
Tarwch y pin drwy'r man lle mae

Hen ffermydd a thai teras bach
Eich tylwyth hyd y nawfed ach.

A phan fydd tyllau pin di-ri,
Daliwch y map am yr haul â chi,

A hwnnw'n haul mawr canol pnawn:
Felly mae darllen y map yn iawn.

HIR A HWYR

Twm Morys eto, Meuryn:
Mae o'n hwyr, mi wn i hyn.

Hir ei daith adre' i'w dŷ:
Hwyr ei gynnig ar ganu.

Hir iawn yn ei yrru o,
A hwyr yn ymddiheuro.

Cyn hir mi ddaw'r dihiryn
Yn hwyr i'w gnebrwn ei hun.

Mae o'n hwyr, ond mi wn hyn:
Hir yw amynedd Meuryn.

PRYDER

Un bore oer, yn lês brau
O'i anadl o a minnau,

Aethom i weld gwyrth y môr,
Fel mabinogi'n agor.

Gwenu wnaeth yr hogyn aur;
Yn y brwgaetsh a'r brigau'r

Oedd esgyrn mân y gwanwyn,
A'i gri o hyd o gae'r ŵyn.

Ond roedd rhew yn yr ewyn,
A minnau'n gweld mannau gwyn

Ei fabinogi'n agor,
A'i drem o hyd ar y môr.

FFRYMU

Af i heno fy hunan
Yn fy ôl at Lyn y Fan,

I boeri 'nhamaid bara,
Ei boeri i'r dŵr lle bu'r da

'N cerdded, heb oedi wedyn
I weld eith y dŵr yn wyn.

A heno dof fy hunan
Yn fy ôl o Lyn y Fan,

A hwyrach bellach y bydd
Ei li'n rhoi imi lonydd,

Am nad wyt ddim mwy yn dod
O'i dawelwch diwaelod.

CAROL

Be' allaf i wneud bellach
I droi pen y bachgen bach,

A Siôn Côrn ar bob cornel
A'i garol o'n sôn am sêl

Ola' un y Mileniwm?
Wneith ei waedd ddim cyrraedd Cwm

Pennant. Ni ddaw i'n poeni
Weiddi neb lle byddwn ni.

A down, was, a'r byd yn wyn,
I olwg y ddau Foelwyn,

Fel dau angel yn dengid
Ar y bore gore i gyd.

GORWEL

Mae rhai o blaid mur o hyd,
Mur na all neb ymyrryd
Â'i feini: yr hen fynydd
Mawr llwm dros y cwm bach cudd.
Pwy na wêl ei siâp y nos,
Y mur sy'n dweud am aros?

Ac mae rhai am Gymru rydd;
Gwlad yr un fath â gwledydd
Eraill, lle bydd ymyrryd,
Lle mae cwm, a bwrlwm byd;
Mae rhai am i'r Cymry hel
Eu geiriau dros y gorwel . . .

Mae lôn o hyd o 'mlaen i,
A'r niwl yn ei chorneli,
Sy'n arwain dros hen orwel
Y mawn tua'r llaeth a'r mêl.
Ond dyna weld, yn y nos,
Y mur sy'n dweud am aros.

TITRWM TATRWM

Titrwm tatrwm ar ben to,
Y dŵr sydd yn ei daro
Yw'r dŵr oer ar Dryweryn;
Cyn hir bydd yn llenwi'r llyn,
A gwn na chysga'i heno;
Titrwm tatrwm ar ben to.

CADW

Wn i fawr am hen furiau,
A phyrth yn wyrth o fwâu,

A thyrau fel iaith arall
Uwch toeau coch y tai call,

Na fawr am pwy fu farw
O dan eu hen gysgod nhw;

Cymryd y goes mae'r Cymro
Erioed, erioed; be' ŵyr o?

Mi wn i hyn: am mai *nhw*
A'u cododd, rhaid eu Cadw.

BAE

Nid oedd gwin ym Mhorthstinian,
Na dim oll, ond cychod mân

A'u sennau'n llwm, fel sy'n Llŷn
Neu Lydaw. Yn ôl wedyn

I 'mro i, at Gymry aeth
I laru ar gnul hiraeth,

A methu clywed wedyn
Sŵn y lli piwis yn Llŷn.

Yma'n y Bae mwya'n bod,
Chlywn-ni mo'ch sgrech, wylanod.

Y PARC YN 50 OED

Mae darn o'n daear nad aeth
Ohono bob gwahaniaeth;
Y Lliwedd a'r Carneddau,
Nid hawdd yw eu gwastatáu.
Ac nid hawdd ydi gwneud ton
Llyn c'wilydd fel llun calon.

Mae'n ben-blwydd ar egwyddor
Newydd rhwng mynydd a môr:
Aros ymhlith y werin,
Troi at dylwythau fu'n trin
Yr arfau'n hir, rhai fu'n hel
Y llechi o'r lle uchel.

Trowch y sgubor yn oriel,
A'r beudy yn dŷ bach del,
Cadw i ŵyr fainc ei daid,
A dyna gadw enaid.
A thra bo iaith orau'r byd,
A dŵr yn afon Dwyryd,
Bydd darn o'n daear nad aeth
Ohono bob gwahaniaeth.

DEWIS CAS WILIAS Y WÊR

Roedd y Wyddfa'n y canol
Filoedd o fynyddoedd nôl,
A saif 'rhen Wilias hefyd
Draw'n y bwlch ar drwyn y byd.
Aur i Dic yw tir ei daid,
Am mai yno mae'i enaid.

Dyna'i dŷ moel dinad-man – ylwch!
    A'r hen Wilias druan
     Yn syllu drwy'r drws allan:
     Mae'n fyd llwm yn Hafod Llan.

Ond draw dros war yr Aran,
Daw llais heibio Hafod Llan:
'Boy, we know your life's been hard
In your wretched house, Richard,
Up here all year, like a yack
In the rocks with your rucksack.
You need a break from Snowdon:
Hell! Why don't you sell it, son!"

Ai'n ofer y bu hynafiaid – Wilias
    Yn bugeilio defaid
     Y mynydd cyn dydd ei daid,
     Y mynydd lle mae'i enaid?

Sobor yw pris ei aberth:
Rhoi copa'r Wyddfa ar werth!
Lle bu defaid ei daid o
A'i deidiau ers oes y Dodo.
Nôl i'r niwl â'r hen Wilias,
Nid i osgói'r dewis cas,
Ond i hel ei enaid o
I'w waled a ffarwelio.

LLYTHYR AT YR ARCHDDERWYDD

Archdderwydd! Oherwydd hen
Reol gan heddlu'r awen,
Mae 'na sicrwydd bob blwyddyn
Eich bod am gadeirio DYN.
Rhyw ddyn bach efo'r ddannoedd,
A'i ofid i gyd ar goedd,
Dynion yn dioddef hefyd
O holl boen erchyll y byd.
Pryd y daw sgŵp i'r ADAR?
I'r ŵydd, i'r ceiliog, neu'r iâr?
Cadair i binc, a dryw bach?
I gywion pâl a gïach?
Mi fu'r ŵyl yn llwm i frân,
A heb glod i biglydan.
Buom yn chwerw, Archdderwydd,
A dyn yn cario pob dydd.
Rhowch heibio gadeirio dyn,
A chadeiriwch aderyn!

CRIST RIO

Lle mae dy dad di, hogyn bach?
Lle mae dy dad di, sgwarnogyn bach?
Mae 'Nhad i ar herw ym mhen draw'r byd,
Yn llechu a rhedeg, yn llwch ar ei hyd.

Be' welodd dy dad di, hogyn bach?
Be' welodd dy dad di, sgwarnogyn bach?
Mi welodd yr Iesu yn barod i neidio
A chariad yn dweud wrth yr Iesu am beidio.

A ddaw dy dad adra', hogyn bach?
A ddaw dy dad adra', sgwarnogyn bach?
Daw, mi ddaw adra', ar ôl dwyn y byd,
Yn llachar a hafaidd neu'n llwch ar ei hyd.

Beth os na ddaw o, hogyn bach?
Beth os na ddaw o, sgwarnogyn bach?
Wel, mi wisga'i hen fŵts-o o ledar Sbaen,
A'u byclau nhw'n tincial fel yr a'i yn fy mlaen.

O NA FYDDEM ETO

O na fyddem eto yn y chwinciad llygad llo
rhwng bod y dail yn dod a bod y plant yn gwneud cychod;
rhwng bod y cychod ar afon, a'u bod nhw ar yr eigion;
rhwng bod y mwyar yn ddu, a'u bod nhw wedi eu bachu;
rhwng y chwedl a'r chwerthin; rhwng Ebrill a hanner
    Mehefin;
rhwng dwi'n dy garu di a chawod oer y conffeti;
rhwng bwrdd llong y freuddwyd, a'r ddesg yn y
    swyddfa lwyd;
rhwng bod ein gwlad yn rhydd, a'n hiaith yn mynd
    i'w gilydd;
rhwng y wledd a'r angladdau; rhwng agor ein
    llygaid a'u cau;
rhwng ein bod ni'n gweld y ddôr ac yn codi i'w hagor.

PAN AWN NI HENO

Pan awn ni heno i chwara', beth am fynd i chwara'n chwil,
A bod yn chwil wrth chwara', ac wedyn para'n chwil,

A'i bwrw hi am Fecsico, nes bod y car yn rhacs,
A Melani'n ymhel â ni, a *Blood on The Tracks*?

Ac yna yn yr hen salŵn, a hithau ar ei hyd,
Mi daflwn am y cwbwl lot, a cholli'r cyfa i gyd.

Nid tamaid ond y cwbwl, nid llymaid ond y llyn;
Pam nad oes ond hanner gwên i'w gael y dyddiau hyn?

Ac yn Rio De Janero, pwy oedd hwnnw'n iawn?
Iesu'r Tragwyddoldeb, 'ta rhyw Iesu bach yn pnawn?

Achos wrth dy weld di'n crynu, daeth drosof innau gryd,
A llygaid marw Dylan dros dy ysgwydd di o hyd.

I PETER GOGINAN

Be' wyddom ni o dan y sêr
Am be'r wyt ti'n breuddwydio
I fyny ar y gwely gwyn
Fel deryn wedi'i daro?
Bydd baner ddu dros Gymru i gyd
Nes byddi di 'di deffro.

Yn joch o wisgi aur heb ddŵr,
Yn Lyndŵr dros bob achos,
Yn rhuo dy farn, yn hir dy farf,
Yn tarfu ar y plantos,
Lle bynnag rwyt ti'n rhoi dy din,
Mae'r Mabinogi'n agos.

Bydd rhai'n dy watwar yn dy win,
Fel melin glep yn rwdlian,
Ond mi fûm i lawer gwaith drwy'r nos
Yn gwrando sŵn dy hopran,
Ac yn hel y siwrwd sêr i'm sach,
Peter bach Goginan.

I EDWYN TOMOS,
PENRHYNDEUDRAETH

Mae 'na ddyn o Sir Feirionnydd
Wedi dengid dros y mynydd,

Ond nid â'n ango' byth ffordd hyn
Y ddwy lygad fel dau lyn.

Dau lyn tywyll oedden nhw,
Dau lyn dyfn, ond ar fy llw,

Roedd direidi fel brithyllod
Aur ac arian yn eu gwaelod,

Ac roedd cariad yn donnau tal,
Rhy fawr i galon dyn eu dal;

Lle na wêl y Sais ddim byd
Mae holl synnwyr pen Cymro 'nghyd,

Ac nid â'n ango' byth ffordd hyn
Y ddwy lygad fel dau lyn.

HETIAU

Bu 'mysg yr hetiau 'mhob man: – hetiau gwyn,
   Hetiau gwellt, a sidan,
  Y tarbwsh coch, a'r tyrban.

Bonet yr Alban, y trilbi – di-lol,
   Cap bêsbol, a bysbi,
  A het y Pab, a'r topî.

Arbrofi â'r bere hefyd. – Trio het
   Ar hap, a'i dychwelyd;
  Trio y bu hetiau'r byd.

Trwy'r byd, roedd hetio ar ben,
Hasbins oedd â diddosben,
Oherwydd i'r dihiryn
Bara o hyd heb yr un,
A ninnau, bawb, yn y bôn,
Yn dynwared yn wirion.
Aeth hetiwr diarth ato
Isio parch i'r hen siapô:
'Mynna het ym Manhattan,
Het o well brîd, het lliw brân,
Het lliw'r glaw tywyll, a'r glo,
A phluen arni'n fflio . . .'
A dyna'r Llwyd amdani,
Y porc-pei ar y ciw-pi.
Eto o'r bocs daeth hetiau'r byd,
O Gairo i Benygwryd,
A llawer yn null Iwan
Ymysg yr hetiau 'mhob man.

Y TYWYDD AR Y TAI

Yr hyn a ddwed Rhiannon – yw'r tywydd
   Ar y Tai Newyddion;
 A hi'n oerfel yng Ngh'narfon,
 Mae'n ha' o hyd ym mhen hon.

Ym mhen hon y mae ein hiaith,
Yn dal heb enaid eiliaith,
Yn rhydd ar lonydd y wlad,
O Lan-gan i Langwnnad,
Yn cofio chwedlau cyfan
O Lan-faes i Lyn y Fan,
A llwybrau Lleu a Hebron
Yn hyn o wlad yn un lôn.
Ym mhen hon rydym yn hau
Heddiw, nid ym mhen dyddiau;
Yn dallt, fel distiau hen dŷ,
Am dylwyth ac am deulu;
Yn gwybod y ffordd, yn gwibio
Draw o'r ffordd, ond nid ar ffo;
Yn fro o hyd, fore o ha',
Nid bore'r diwrnod byrra'.
Achos haul, mi glywsoch sôn,
Yw'r hyn a ddwed Rhiannon.

I GYFAILL YN Y LLYS

Mae 'na fil, mi wn, o feirdd,
Mae 'na chwalfa o chwilfeirdd
O dai tafarnau'n dŵad
Bob dydd hyd lonydd y wlad.
Y beirdd bach sy'n bustachu,
Y beirdd hen, shêcspiraidd, hy,
Y prifeirdd papur hefyd,
Yn eu ceir yn honco o hyd.
Ond yn y llys mae dyn llwyd,
Lyshiwr a frethaleisiwyd . . .
Y Llwyd! Mi awn ni i'r frwydyr
Eto i hel Mansel i'r mur.
Mi awn yn fy limo i
At y rafins i'r trefi,
Dwy het, yn llychlyd a hardd,
Preifat yn dreifio Prifardd.

DOES NEB YN CAEL 'MADAEL MWY

I'r Prifardd Myrddin ap Dafydd, Sgubor Plas

Does neb yn cael 'madael mwy,
A'i draed dros wellt yr adwy,
Rhag i fŵts blêr rhyw gleryn
Hel y clwy acw i Lŷn.
Gohiriwyd gig o'i herwydd:
Gohirio'r daith i Gaerdydd.
O barch i'r ŵyn dan warchae,
Gohiriwyd bwyd yn y Bae.
Tra clwy, a'i ofn-adwyaeth,
Rhaid i gleryn ganu'n gaeth:
Yn ei sgubor drwy'r bore,
Wrth ei waith, heb daith i'r De;
Yn ei gwt drwy'r pnawn i gyd –
Hen fochyn o afiechyd!
Wedyn, a Llŷn yn llonydd,
Fel y bydd Llŷn derfyn dydd,
A'r gwellt ar lawr, ac 'AR GAU'
Yn dwrdio ar lidiardau,
Taro i mewn i Dir a Môr
Y mae'r sgab mawr o'r Sgubor!

BRIL A IÂR A CHREM BRWLÊ

i ateb y gloddestwr

Clywais si fod bwci bo
ar seti'r Ffeddars eto
a blaidd codi ofn ar blant
yn poeni praidd Cwm Pennant
a sawl peth ers Sul y Pys
yn marw'n Nhrefan Morys.
Daw rhai cloff i ledu'r clwy
yn amdo dros Lanstumdwy
nes bod y cantref hefyd
yn Lôn Goed aflan i gyd.
Cei Angau'i hun acw 'nghudd
yn safanas Eifionydd.

Dyma fyth! Does dim o'i fath
yn cracio wyneb Criciath:
y lle sydd yn llawn llesâd
y Diwlycs a'r Cadwalad
a gwib roesom o'r Sgubor,
torri magl, i'r Tir a Môr.
Hyd y stryd, mae neges drist:
ar dorri a di-dwrist.
Garw yw: does fygyr ôl
yn llaw y cogydd lleol.

Bril a iâr a chrem brwlê
a gaed, a dwy Fwsgade
a chwmni bôrs, sobor sôn:
dau eiriog (ond awduron).

Er ceisio legio i le
arall, beichiwyd ein *soirée*:
cywyddwr, storïwr oedd
wledd–ddwynwyr, fel y ddannoedd.

Er hynny, tjap, does run tjans
y rhoesom glwy i'r Ffrîsians;
nid o'r môr y daw'r marw
i ŵyn a lloi, ar ein llw;
y moch, nid y cimychiaid,
sy'n ei ledu, ac ar laid,
nid y don, y mae'i staeniad.
Aed o'r wledd adra i'r wlad
drwy wal o wellt. Gwn, drwy Lŷn,
na fu i lo golli'i flewyn.
Iach yw pawb – heblaw'r gloch pen
a greodd hogia'r awen.

Myrddin ap Dafydd

I GYFARCH Y PRIFARDD YN NANTGWRTHEYRN

Ni ddaw'r niwl heddiw i'r Nant;
Heddiw, caiff Cymro'i haeddiant.

Lle bu'r holl lafur, mae llog:
Teisi hirfelyn tesog.

Ni ddaw Sais heddiw â'i sŵn
I gaer pob dim a garwn,

A chawn gyfeddach heno,
Gymry drwg, o'i olwg o.

Cawn wyliau – cyn i Wales
Chwalu fesul tŷ'n y tes:

Heddiw, daeth llambedyddiol
Dewi aton ni yn ôl.

MARWNAD

Tristach yw Cymry trostyn',
tre' a gwlad am fentro i'r glyn
un bore oer yn llawn brain
a'i gael, dan het, yn gelain;
Twm ei hun, eu heilun nhw,
yn Dwm Morys 'di marw.
Yn Forys sych ei feiro,
yn Dwm trwm 'fu'n fardd un tro.

Cyn bod 'run gwalch 'di codi
a chyn i lwynog na chi
gyfarth, cyn bod y gwartheg
yn y rhyd, dan gwmwl rheg
aed ag o yn flodau i gyd
drwy'r afon, drwy'r dre hefyd,
drwy Drefan a thrwy'r Annedd,
a thai tafarndai i'w fedd.

Wrth ei elor wyth olwyn,
yr oedd môr o chwilfeirdd mwyn
wedi dod yn gwmwl du
i hwylio'r bardd i'w wely.
Clerwr mewn byclau arian,
a mil o sgwarnogod mân,
a'r ferch sy'n brifo o hardd,
afanc, ac ambell brifardd.

Yn un â Dafydd Ionawr,
mewn arch y mae Twm yn awr,
arch hir lom, arch orau'r wlad
a chywydd ar ei chaead.

Ac uwch ei arch waetgoch o
yn brifardd wedi brifo,
crio fyth o grwc 'rwyf i,
diau na fedraf dewi.

Bardd o Wynedd, bardd uniawn,
bardd o'i go' ond bardd go iawn,
bardd y byd a bardd â barn,
bardd difyr bwrdd y dafarn,
dyna oedd. Mae'r byd yn od!
Cinio iawn i'r cynnonod
yw fy Morys, fy marwn,
fy Morys hoffus ei sŵn.

Marw a wnaeth Twm Morys,
a llai o hwyl sy'n y llys.
Ond bydd pobol yn holi
am hwn yn hir, mi wn i,
yn barod bob ben bora
maen nhw'n dod yn gwmni da
i daflu hetiau duon
ar ei fedd mawr lawr y lôn.

O Lŷn i waliau union
y dref wleb hydrefol hon,
mewn tai oer, mewn tai teras,
tai dynion drudion o dras,
mewn hen gestyll, mewn gwestai,
yn y tŷ hwn ac mewn tai
eraill blêr, mewn llawer llys,
mae hiraeth am Dwm Morys.

Mei Mac

YMDDADFARWNADU

Un Mac oedd ddigon i mi,
Mac yn cymryd y mici.
Mac ddaru landio acw
Gyda hers, fel gwdihŵ
Yn galw gefn dydd golau,
Â chist yn barod i'w chau.

Meirion yr Ymgymerwr
Mawr ffraeth, cyhyraeth o ŵr,
Ar ben arch, a deufarch du
O Annwn yn ei thynnu,
Yn rhoi i bawb wâdd i'r claddu,
A minnau, Twm, yn y tŷ!

Er fy mod yn fy mlodau,
Ac yn iach fel cant o gnau,
Yr oedd rhyw feirdd ar fy ôl
Yn udo yn farwnadol:
"Nid crys sy am Morys mwy,
Ond amdo'n Llanystumdwy . . ."

Cyn i ti, y Macyn Tair,
Godi dy drydedd gadair,
Byddaf ar fy mhedwaredd,
Er fy mod dan ro fy medd.
Marw neu beidio, Meirion,
Bardd ydi bardd yn y bôn.

MARWNAD ARALL

(Anhysbys)

Y mae'r hydref yn Nhrefan
yn ddilyw mawr o ddail mân,
a dail lond Afon Dwyfor
wrth ymwáu at drothwy môr:
o bob pren mae'r hydre'n hau
dail â'i wyntoedd hyd lawntiau.

Yr un eu tynged erioed,
y dail ysgafn hyd lasgoed,
a'r un dynged tynged Twm
a dynghedwyd yng nghodwm
y dail i fynd i'w dilyn,
mynd â'r deiliach afiach hyn.

Â'r afon, drwy'r hydrefu,
yn llawn dail, mae llenni du
yn cau'i aelwyd rhag golau,
ac mae drws Goetshws ar gau,
a'r tŷ a roes ei groeso
ddoe i'r glêr heddiw ar glo.

Sŵn rhofio sy' yn Nhrefan,
sŵn gyrru meirch, sŵn gro mân;
sŵn llif ar draws hunllefau,
sŵn cist Twm Morys yn cau;
yn Nhrefan mae sŵn crafu
coed ei arch ar dywarch du.

Canodd yn iach o achos
daeth cŵn o Annwn un nos,

â'u herlid o fro'r hirlwm
yn erlid taer ar ôl Twm:
cŵn gwaedliw, brithliw, brathlyd,
cŵn tarth, yn gyfarth i gyd.

I'r pridd, â'r ddaear iddo
yn grys â botymau gro,
y rhoed corff pydredig hwn,
ond ei enaid i Annwn,
ac yn Annwn, gan hynny,
y mae ein Twm, nid mewn tŷ.

Ond gyda'r nos, beunos, bydd
Twm yn hawntio mynwentydd,
gan hofran i Drefan draw
yn ystod yr hwyr distaw:
ysbryd Twm yn bwhwman
uwch gweunydd a meysydd mân.

Os clywi di sŵn cau dôr
y gegin wag, a'i hagor,
a sŵn lloriau'n oriau'r nos,
sŵn dodrefn gefn gaeafnos,
a sŵn dymchwel y gwely,
mae enaid Twm yn y tŷ.

Gan wisgo ei amdo gwyn
rhodia trwy'n muriau wedyn
atom, bawb. Twm, y bwbach,
yn croesi o 'draw', yn creu strach
yn ein tai, a'r ennyd hon
â trwy fur at ryw Feirion.

ADYMDDADFARWNADU

Hel iorwg a galaru
Mae'r holl ymgymerwyr hy:
'Marw wyt, Twm, er i ti
Gydio'n y sêr i godi . . .'
Yma 'Nhrefan mae'n rhyfedd
Gwybod fy mod yn fy medd.
Y sgŵd pan glywais y gair!
Trwm fu'r godwm o'r gadair.
Prin fy mod wedi codi,
A dyma ail sgŵd i mi:
Rhyw hen odlwr marwnadlyd
Ei sŵn, heb enw'n y byd,
Yn harthio, dan bwyntio bys,
'At y meirw, Twm Morys!'
Mae'n fardd, am wn i, o fath;
Darllen a wnes i deirllath
O'i eiriau, a thair arall,
Synnu gweld nad oes un gwall.
Ai rafin aeth yn brifardd,
O Gatráeth i gwt yr ardd?
Ai ofn wyneb y rebel
Sy ar hwn? Ai cysur hel
Twm Morys at y meirw,
Fel tae'n un ohonyn nhw?

Hel eiddew at fy nghladdu
Mae'r holl ymgymerwyr hy.
Ond nid heddiw mae'r diwedd!
Ym mhen y lôn mae 'na wledd.
A thra bo sêr i glera,
Myn diawl, mi wn i nad â
Twm Morys at y meirw
Ond yn un ohonyn nhw.

Ôn i'n ofn bod pob peth yn darfod,
Ac mi es i gerdded fy hun,
Gan godi enw, a nodi lliw,
Ac oedi i wneud llun.
Ond doedd y dydd ddim digon hir
I'w nabod nhw bob un.

Mae d'angen dithau arnaf i,
Fy nghyfaill. Mae'n hwyrhau.
Ac mae pedair clust, a phedair llaw,
A phedwar troed gan ddau,
A bydd ll'gadau'r naill yn 'gored
Pan fydd ll'gadau'r llall ynghau.

WEL, DYMA'R ŴYL

(ar dôn Teg Wawriodd Boreuddydd)

Wel, dyma'r Ŵyl Ifan ddifyrra' erioed,
Mae holl adar Cymru yn canu'n y coed,
A phan fydd taw ar hen fwrlwm y byd,
Mi glywch yr angylion yn dŵad ynghyd.

Bydd llawer i loddest, a llawer o hwyl,
Gydol y flwyddyn bydd llawer i ŵyl,
Mi ŵyr yr angylion am wleddoedd y byd,
Ond adeg Gŵyl Ifan y daethon nhw 'nghyd.

Wel, dacw Foel Fama, a'r gwynt yn y gwair,
A dacw dre' Rhuthun a'r dafarn a'r ffair,
Mi ŵyr yr angylion am lawer lle clyd,
Ond yn Rhyd y Cilgwyn y daethon nhw 'nghyd.

Mae'r Sawl wnaeth y lleuad, y Sawl wnaeth y sêr
Yn edrych i lawr ar yr hen ddaear flêr,
Yn ysgwyd ei ben ac yn holi o hyd:
I ble'r aeth y gobaith a'r cariad i gyd?

Gan hynny, gariadon, rhowch eich enwau i lawr
I sefyll am byth yn y dwyfol lyfr mawr,
Er mwyn i'r angylion, wrth hedfan o'r byd,
Gael dweud bod 'na obaith a chariad o hyd.

DACW'R HAUL

(ar y dôn Pistyll)

Dacw'r haul ar Garn Boduan,
Fel ar fynydd mwya'r byd;
A dacw'r haul ar dywod Nefyn
Fel tae'r nefoedd ar eu hyd;
Dyma'r bora, dyma'r bora,
Dyma'r bora gora' i gyd.

Dyna'r ugain mil yn chwerthin
Draw ar dalar bella'r byd,
A hen organ bêr Tom Nefyn
Yn gwahôdd i mewn o hyd,
Ar y bora, ar y bora,
Ar y bora gora' i gyd.

Dyma roi ein gair i'n gilydd,
Ac i Frenin Mawr y byd,
Na cheith dim orchfygu cariad
Tra bo dau yn dod ynghyd
Ar y bora, ar y bora,
Ar y bora gora' i gyd.

ANGEL

(Ar dôn led-Lydewig)

Be' 'di'r gola' dros y Llan?
Angel bach gwyn, angel bach gwyn.
Dros y môr a dros bob man?
Angel bach gwyn y Nadolig.

Be' 'di'r sŵn fel storom blu?
Angel bach gwyn, angel bach gwyn.
Y sŵn fel sêr yn nrws y tŷ?
Angel bach gwyn y Nadolig.

Du ydi'r briga' ar y coed
Coch ydi'r dail o dan fy nhroed
A dyna 'di lliwia'r gaea' erioed . . .

Mae rhai yn ama' wyt ti'n bod,
Angel bach gwyn, angel bach gwyn.
Ond bob Nadolig rwyt ti'n dod,
Angel bach gwyn y Nadolig.

NOS DA, NOS DYWYLL

(yn ara' deg ar dôn Henffych i'r Prifardd)

Nos da, nos dywyll, blantos; wfft i'r bwci bo,
Angyles bach y Dolig sy'n eistedd ar ben to.
Mae'r mynydd mawr sgwarnoglyd mor ddistaw dan y sêr,
A draw'n yr allt, a rhew'n ei wallt, hel pricia' mae'r hen wêr.

Genod swil sy'n gwneud eu syms cyn mynd i chwarae mig,
Del 'di'r goeden Dolig â'r fferi ar ei phig.
Ond hogia' drwg a charidyms fu'n honco yn yr ha',
Chewch chi ddim pwdin Dolig nes dowch chi'n hogia' da.

Mae'r fala' a chnau mewn sacha' yn y tyddyn bach a'r plas,
A chlustog ar yr aelwyd rhag i Siôn gael codwm cas.
Mae'r plantos da yn cysgu, mae Tedi'n wên i gyd,
Ac mae Mam a Chapten Morgan lawr grisia' ar eu hyd.

O! Genod swil sy'n gwneud eu syms . . .

Hen ddoethion yn y fagddu, yn rhynnu ar y rhos,
Maen nhw'n chwilio am y stabal, maen nhw'n baglu yn y ffos.
Angyles bach y Dolig yn tapio'i throed yn flin;
Mae Santa Clos yn hwyr, ac mae 'na eira dan ei thin.

O! Genod swil sy'n gwneud eu syms . . .

GWEISION SANTA

(fel cath i gythraul ar dôn Henffych i'r Prifardd)

Y ni 'di gweision Santa, 'bant â ni mewn lori lo.
Mae'r corrach ar y cwrw, ac mae'r ceirw i gyd o'u co'.
A, blantos bach, mi gewch chi ddiawl o stîd a'ch cau i gyd
    mewn cell;
'Dan ni wedi laru 'stalwm ar ddod ar daith mor bell.

O! Genod swil sy'n gwneud eu syms cyn mynd i chwarae pêl,
Mi rostiwn y rheini yn eu crwyn a'u buta efo mêl.
Ond hogia' drwg a charidyms fu'n honco yn yr ha',
Ceith y rheini rym a thanjarîns am fod yn rafins da.

Mae Santa'n lysh yn ganol oed, mae o'n dew a hyll a hen.
'Di o ddim yn canu carol, mae o wedi piclo'i frên.
'Di o ddim yn cofio'r ffordd yn ôl i Wlad y Gân,
Ac mae cyfeiriadau'r plant bach da yn llosgi yn y tân.

O! Genod swil sy'n gwneud eu syms . . .

A gyda hyn daw'r gwdihŵ, a'r ellyll a'r bol-lol
I dynnu clustiau Tedi ac i eistedd ar ei fol.
A fydd dim sôn am Santa, am fod Santa wedi marw,
A'r fferi a'r angyles bach a'r corrach ar gefn carw.

O! Genod swil sy'n gwneud eu syms . . .

DEWI SANT

Chwe deg pump ydi oed ymddeol
Ymhlith y gweithlu Cymreig, fel rheol.
Ond roedd Nawddsant Cymru'n dal yn ei waith
Yn gant a phedwar deg a saith.
Roedd o'n bennaeth ar y Coleg Saint;
A rhag ichi feddwl bod hynny'n fraint,
Roedd o'n neidio o'i wely i gyfarch y wawr,
Ac yn taflu ei hun yn noethlymun ar lawr,
Ac wedi gweddïo fel hyn tan saith,
Yn mynd â'i frecwast efo fo i'w waith.
A phan ddôi'r disgyblion, dan ddylyfu gên,
Byddai Dewi wrthi, efo Werddon o wên,
Yn tynnu'r arad ei hun, yn lle'r ych,
Ac yn cnoi ar ei damaid o fara sych.
Ac wedi rhannu'r crystyn â'r brain,
Byddai'n mynd i glirio mieri a drain –
Nid efo cryman (doedd gan Dewi'r un),
Ond efo'i winedd a'i ddannedd ei hun,
A'r saint bach didoreth yn blino wrth sbïo
Ac yn mynd yn eu holau i'w gwlâu i weddïo.
Wedyn, a'r haul wedi hen fynd bant,
Chwipio'i hun byddai Dewi Sant,
A llamu i'r bath am awran go lew,
Ar ôl gwneud twll digon mawr yn y rhew;
Yna, ryw funud neu ddau cyn y wawr,
Cysgu ar grwyn draenogod ar lawr.
A does dim rhyfedd bod Dewi Sant,
Byth er pan gafodd ei ben-blwydd yn gant,
Yn gofyn i'r bos o hyd ac o hyd
Pryd 'câi o ymadael â'i boen yn y byd?
Roedd o'n gant a phedwar deg a saith,
Yn hŷn na Moses, ac yn dal yn ei waith . . .

PETHAU BYCHAIN
DEWI SANT

Pethau Bychain Dewi Sant:
Nid sŵn telyn ond sŵn tant;
Nid derw mawr ond adar mân;
Nid haul a lleuad ond gwreichion tân.

Pethau Bychain Dewi Sant:
Y ll'godan, nid yr eliffant;
Dafnau'r gwlith, nid dŵr y moroedd,
Ond yn y brigau, stŵr y moroedd.

Pethau Bychain Dewi Sant:
Hoel traed morgrug, bwrlwm nant,
A jinipedars yn y pant,
A'r darn bach o englyn a elwir y gwant,
A'r pellter sy rhwng dant a dant,
A rhwng pedwar ar bymtheg a phedwar ugain a chant,
A dail a sêr a phlu a phlant.

Yr unig strach
Oedd cael hyd i sach
I gadw'r holl Bethau Bach.

BEUNO

(ar dôn Marchnad Llangollen)

Un bore ar lan Hafren, lle'r oedd fy nghartref i,
Mi glywais lais yn galw yr ochor draw i'r lli
A hynny mewn iaith newydd a'r acen hylla'n bod
A gwyddwn wrth ei glywed am y gofid oedd yn dod

Rover! Rover! Such a clever dog!
Rover! Rover! Run and fetch the log!

Ar lawer bore hawddgar mi fûm yn nrws y tŷ
Yn dysgu chwedl afon, ac emyn deryn du,
A dyna'r man difyrraf dan haul a lleuad Duw,
Ond aros ar lan Hafren ni fedrwn yn fy myw

Rover! Rover!

A dyna hel fy llyfrau, fy sgrepan a fy ffon,
A mynd o olwg Hafren â charreg yn fy mron,
Ac er gwaetha'r holl fynyddoedd oedd bellach rhyngom ni
Mi glywn y llais yn galw yr ochor draw i'r lli

Rover! Rover!

A'm sgidiau i gyd yn dyllau, mi ddois i Glynnog Fawr,
O dan hen goeden gelyn, eisteddais i i lawr,
Yno y bu fy llafur, ac yno y claddwyd fi . . .
A dwi'n dal i glywed y ****** Sais yn galw ei ****** ci!

Rover! Rover! x 2

GWYRTH BRYN SIENCYN

'The Man Who Put Bryn Siencyn on the Map', Dail y Post.

Mi glywsoch am wyrth yr hances a'r bryn
Wnaeth Dewi gerbron y dyrfa syn:
Roedd honno'r un fath â chwarae plant
Chadal y wyrth wnaeth Sgidmor Sant.
Pan ddaeth Ei Sgidmordeb gynta' i Fôn,
Anialwch mawr gwag oedd y lle yn y bôn.
A'r bobol yn stelcian tu ôl i ryw lwyn,
Neu'n rhedeg o gwmpas y lle yn eu crwyn,
Heb ddysg na gwareiddiad o fath yn y byd,
Dim ond yr hen sŵn 'na o hyd ac o hyd.
Ac yna, yng nghanol yr ysgall blin,
Aeth Sgidmor Sant ar ei ddau ben-glin.
"In this place," meddai, *"of darkness and sin,*
I will build me a small cell to meditate in."
Ond nid codi un wnaeth o, dim ond dweud amén,
A dyna ryw blasty yn disgyn o'r nen,
A llwyth o dai teras bach, bob un â chwt,
Yn landio ochor yn ochor yn dwt,
Ac wedyn tŷ potas, addoldy, a siop,
A British Legion, a stesion a *'STOP!'*
'Stop!' meddai Sgidmor, *'I don't want Rome!*
Just a sweet little village to make my home,
And shine my lamp of love all night
Till Anglesey has seen the light . . .'
Roedd gwyrth yr hen Ddewi fel chwarae plant
Chadal y wyrth wnaeth Sgidmor Sant.

CREIRIAU

Creiriau! Creiriau! Mae gen i lond sach.
Creiriau mawr, a chreiria' bach.
Trwyn a bys ac asgwrn coes,
Cwpan, ac amdo, a thamaid o groes.

Pan fu farw Teilo ymhell dros ei gant,
Roedd tair eglwys yn hawlio esgyrn y sant.
A dyna hynafgwyr y tair ynghyd
I dynnu barfau drwy'r nos i gyd.
A gwyrth ola'r sant, ei wyrth fwya' gwerth-chweil o,
Oedd mynd cyn toriad y wawr yn *dri* Theilo.

Creiriau! Creiriau! Mae gen i lond sach . . .

Bu farw bardd yn fawr ei glod,
A dyma'r sgleigion bach yn dod
I durio drwy'i gwpwrdd, i eista'n ei gell,
I ddod i adnabod ei weddw o'n well,
I chwilio'i gôt am gysgod y dyn,
A phob un yn cadw peth iddo fo'i hun.

INDEPENDENT ON SUNDAY

"And when you consider their language
Has only survived this far
Because of committees inventing words
For 'television' and 'car',
You don't know whether to laugh or cry,"
Meddai Janet Street-Porter, a neb llai.

"Mr. Glyn is intent on preserving
An arcane and irrelevant view
Of a land which is full of Welsh people
All doing what Welsh people do.
You don't know whether to laugh or cry,"
Meddai Janet Street-Porter, a neb llai.

"People happy to go down the coal mine
And the quarry for tuppence an hour,
Eat mutton and bread, and sing Welsh hymns
In the chapel and the pit-head shower.
You don't know whether to laugh or cry,"
Meddai Janet Street-Porter, a neb llai.

"The Wales of Mr. Glyn disappeared
After the First World War,
And nothing of any importance at all
Ever happens in Wales anymore.
You don't know whether to laugh or cry,"
Meddai Janet Street-Porter, mwy neu lai.

"North Wales is a theme-park,
Whether Mr. Glyn likes it or not.
And don't think I'm saying this because
Of some personal problem I've got,
But if they haven't sacked him, they bloody well oughta!

INDEPENDENT ON SUNDAY;
Janet Street-Porter . . .

Chwertha, Janet! Cria! Lladd dy hun!
'Di o ddiawl o ots gan bobol Llŷn.

21/01/02

Y LLOEGR FACH TU HWNT
I GYMRU FAWR

Daw sŵn yr utgyrn atgas dros y tir
O'r *Festival of Hatred and of Fear.*
Mae'r ceir, 'run fath â'r tanciau aeth i Prâg,
Yn hwrjio imperialaeth y Gwmrâg.
Mae'r iaith orthrymus honno ar bob llaw,
A'i 'll' a'i 'ch' natsïaidd hi yn fraw.
Mae'r dreigiau ffiaidd eto'n goch gan waed
Yn sathru plant bach Saesneg dan eu traed.
A dim ond teg yw cofio, ennyd awr,
Am y Lloegr Fach Tu Hwnt i Gymru Fawr;
Y byrddau llwm, lle nad oes dim i de
Ond cimwch, a joch bach o fysgadê.
Y pentrefi difreintiedig, lle mae rhai
Yn dal i siarad Saesneg yn eu tai.
A faint sy'n siarad honno yn y byd?
Dim ond tri chan miliwn sydd i gyd,
A'r rheini ofn drwy'u tinau, ar fy ngwir,
Pan ddaw'r *Festival of Hatred and of Fear.*

Tyddewi, 8/02

PASPORT

Pan ges i 'mhasport newydd, a gweld y llun bach hardd,
o dan *what occupation?* mi fynnais sgwennu 'Bardd'.

Dangosais o i'r swyddog, a dwedodd hwnnw'n flin
na chawn i ond helyntion wrth geisio croesi ffin.

Mi es i'n bell ers hynny. Mi fûm i ymhob man;
ym Mhatagonia, India, Awstralia a Japan.

Mi fûm i yn y Ffindir, Romania, Groeg a Sbaen,
a gwledydd bach na wyddwn i amdanyn nhw o'r blaen.

Mi fûm am sbel yn Rio, yn Cairo ac yn Cork.
Un Dolig poeth yn Sydney, un iasoer yn New York.

Un tro mewn parc dienaid mewn dinas hyll yn Ffrainc,
mi ges i gân am gariad gan feddwyn ar y fainc.

Dro arall yn Dargeeling, gan fynach o Tibét,
mi ges i hen ddihareb, sef: 'dyn hardd yw dyn â het'.

Ar y ffordd i'r Rockies, yn nrws ei chaban blêr,
dywedodd dynes wrthyf i fod beirdd yn dod o'r sêr . . .

Ac ym mhob man y bûm i, yn hwyliog ar fy nhaith,
yno'n gweithio roeddwn i, a cherddi oedd fy ngwaith.

A ches i ddim helyntion wrth groesi ffiniau'r byd,
ond holi sut mae'r gerdd yn dod? Hei lwc y daw
   mewn pryd . . .

Ond be' ges i wedyn, wrth landio'n Blighty'n ôl?
'Occupation: poet? Well, now I've heard it all!

Get a proper job, mate! Poetry's for the birds!
You won't get nowhere in this world with all them fancy words.

7 O BETHAU PERIG YN NE'R AMERIG

(Cito, Ecwadôr)

1 ydi gorwedd ar un o'r gwlâu,
Yn enwedig efo'r ddynas llnau,
Sy'n hanner chwaer i gefnder y dyn
Fu'n chwarae efo gwraig yr arlywydd ei hun.

2 ydi bod yn rhy hir ar ei chefn:
Mi ddaw 'na ryw chwyldro i newid y drefn.
Hwyrach mai tân gwyllt yw'r glec ar y stryd,
Neu hwyrach mai twrw newid y byd.

3 ydi codi i sbïo be' sy:
Mae 'na ddyn ar y gornel efo sbectols du,
A phobol yn mygu gan y nwy sydd yn crwydro,
Heb oglau na lliw, cyn i'r mynydd tân ffrwydro,
A dynion rhesymol efo cardiau bach gwyn,
A rhosyn pinc arnyn nhw'n deud: dewch ffordd hyn.

4 'di'r dŵr: er cymaint eich syched,
Tydi dŵr ddim yn berwi mewn llefydd cyn uched,
Ac os na chaiff ei ferwi a'i dollti drwy hidlan,
Eith 'na sgodyn bach drwg yn syth bin am eich pidlan.

5 ydi'r genod, sy'n brifo o hardd,
Ac sy rownd pob un gongol yn disgwyl am fardd;
Ffowch rhag y genod, a'u minlliw a'u mwg:
Maen nhw'n union run fath â'r hen sgodyn bach drwg.

6 ydi mentro allan 'run cam:
Tydw i yma ers hydoedd yn deu'thach chi pam?
Allan mae'r chwyldro, a newid y byd,

Y mynydd tân agos, a dawnswyr y stryd,
A'r ddelw groenwelw, a'i dagrau yn waed,
A'r sarff mewn hualau o dan ei thraed,
A thwyll a thywyllwch, a chrefydd a chri
Yr hogia llnau sgidiau sy'n ein dilyn ni,
Ac aur ac adfeilion, a thlodion di-ri,
Yn byw ac yn marw fel llanw y lli,
A phethau na 'snelon nhw ddim oll â chi . . .

7 ydi pob dim arall.

BINOCIWLARS

(Cusgo, 'Bogel y Byd', Periw)

Raun Lipa ydi f'enw i;
Y fi ydi arlywydd Periw.
On'd yn yr amser dw i'n sôn amdano
Ôn i'n gwerthu cardiau post
I bobol fel chi:
Mynyddoedd amhosib, coedwigoedd
Aur, adfeilion, brethynnau cywrain,
Ac adar yn syth o'u dychymyg eu hunain.

A be' wyddwn innau am y rhain?
Y fi oedd angel Bogel y Byd,
Yn degan gan y genod;
Dau lygad gwahanol liw,
Gwên fel pennau'r Andes,
A chydig o bob iaith dan haul.
Ac roeddwn i'n frenin ar y sgleiniwrs sgidiau
A'r cyfnewidwyr, a'r gwerthwyr creiriau.

Ac un diwrnod, dyna'r Gringo,
Y Gringo â'r peth sbïo'n bell,
Na wyddai'r un gair o Sbaeneg,
Yn prynu 'nghardiau i â doleri
Wrth weld fy ngheg gam, a 'mhen ar un ochor.
Mi gynigiais i fy lluniau i gyd
Am gip dros orwel Bogel y Byd.

HOGIAU LLNAU SGIDIAU
YM MHERIW

Cyn bod pres, na'r un rheswm amdanynt,
Mi dynnai'r bobol
Un aradr dros un erw.
Yr oedd y llynnoedd yn llawn, ac roedd
Y gwreiddiau yn daclus
Yn y pridd. Ac i'r preiddiau
Roedd 'na ffyrdd union, a phen y mynydd
Dinad-man a therfyn
Y paith yn uniaith yn awr.
Yr oen a'i fam o'r un farn, yr un dŵr
Yn dod i'w dadebru,
Yr un haul yn grwn o hyd.
Ac wedyn torrwyd y goedwig; codwyd
Trefi cadarn newydd;
Gwelwyd haearn ac olwyn,
A dynion fel dewiniaid, a genod
Gwynion fel cymylau
Ar y sgwâr yn y gwres gwyllt.
Duw'r rhain oedd saer dŵr a haul; i dduw'r rhain
Roedd yr haul yn codi.
Eu duw nhw oedd Duw yn iawn.
Ond hoffai'u merched blancedi llachar,
Ac roedd llwch bob amser
Dros eu bŵts o ledar Sbaen.

BARA BRITH

(Trelew, Patagonia)

Paith ar y dde inni, paith ar y chwith,
Fel tamaid anferthol o fara brith.

Llond awyren, a rhai yn eu plith
Ar drywydd eu teulu bara brith;

Rhyw or-or-or nai, neu or-or-or nith
I rywun ddaeth yma ar y llong bara brith.

Ac mi ân nhw i'r oedfa, i wrando'r llith,
Fydd yn dew ac yn dywyll fel bara brith.

Ac wedyn i'r gegin, fel rhai tan y gwlith,
I dderbyn eu te, a'u darn bara brith.

Anghofiwch am ryddid, mae rhyddid yn rhith;
Ond bydd Cymry'n y Wladfa tra bo bara brith.

BE' ROWN-NI?

Be' rown-ni lle bu'r heniaith – yn fafon
 Ac yn fefus unwaith?
Nid llwyn, yn dywyll uniaith,
Ond nid cae i chwarae, chwaith.

ANGEL NA WELWCH

Mae 'na angel na welwch – ei wyneb
 Yn iawn gan y t'w'llwch
Sy'n y drws, a'r nos yn drwch;
Daw i mewn os dymunwch.

CYBI

At ei Garn, a'r gwynt o'i go' – y buom
 Yn y baw yn dringo.
Yn ei niwl oer, annwyl o
Y bu'n gwledd ddyweddïo.

LLWYBR Y GLÊR

Nid yw map o'n gwlad i mi
Ond llun wnâi dall ohoni;
Un nad yw'n dallt enw ei dŷ,
Y cr'adur! Un sy'n credu
Y lluniwyd yr holl lonydd
I gario dyn i Gaerdydd.
Un na ŵyr fod lôn arall
Inni i gyd, heblaw'r un gall,
Ac enwau tai'n ei gwneud hi
Yn un lôn o oleuni;
Mae pob caer yn olau'r nos
A'r Mabinogi'n agos,
A thewyn byth yn y berth
Pan awn heibio Penyberth;
Y mae rhai ym Moreia'n
Cynnau lamp, a'i wic hi'n lân;
A Jabez, Ebenezer,
Hebron a Saron fel sêr,
Nes y gwelsom yr Iesu
Yn dod dros y mynydd du . . .
Enwau tai sy'n ein tywys,
Lantar wrth lantar, i lys.

BYD Y BEIRDD

Heolydd bach eu helynt – yw'n rhai ni,
A'n ceir-ni yn linc-loncio arnynt,
A ffyrdd cul iawn wrth ffordd Clint – a'i farch o,
A Cholorado'n eiddo iddynt . . .

Gwelsom hynt pob gwynt, pob gwae,
A'u hodli yn ein hawdlau,
A'u trimio â stwff trymach
Na deunydd ein beunydd bach.
Er i'n clwy ofnadwy ni
Ennill talyrnau inni,
Mae yna haels mwy na hyn:
Plantos yn mwrdro plentyn;
Efaill, a'i efaill afiach
Yn sownd yn ei ystlys iach,
A'r wraig yn esgor ym mrig
Y goeden: bendigedig!
O weld llond daear o wae
Y daw'r marwnadu orau.
Ar y degfed o Fedi
Dyna oedd gofid i ni . . .

Nid cadiffán bach gwan ydi'n gwynt – ni
Wrth y cewri 'nghoelcerth y corwynt:
Y marwnadau gorau gynt, – a gynnau,
Marwnadau i'n meirw *ni* ydynt.

I DYL MOR

Nid yw'r Cawr yn llawr y Llan. – Nid yw'n fud,
    O dan faen a lluman;
   Daw'r llais hawddgar yn daran
   Heibio i mi ym mhob man.

Bobman lle nad oes canu,
Na genod teg yn y tŷ,
Na hen ŵr mwyn yn rhoi i mi
Achau'r hen do fel llechi,
Na holi barn tafarnwr,
A chael triban gan y gŵr . . .
O'r heolydd o rywle,
Daw'r llais yn dyner drwy'r lle.
Daw'n Aran o dynerwch;
Ni all llais ddiflannu'n llwch,
Na hanner ha' o wyneb
Ddylu'n niwl ym meddwl neb.
Y byw hwn ar dalar bod,
Aeth yn obaith o'i nabod.
A heno'n Sir Feirionnydd,
Yn Llanuwchllyn, derfyn dydd
A'i chwys, oni welwch chwi
Ei wregys yntau'n crogi?
Coelier y sêr dros Aran!
Nid yw'r Cawr yn llawr y Llan.

PINNAU GLOYW

Cer i nôl pinnau, cariad;
Pinnau gloyw a map o'n gwlad;
Pinnau a map a 'panad . . .

Wedyn, mi awn i rodio,
Ac yn lle bynnag y bo
Enw annwyl: pin yno,

A'n henwau ni'n wahanol;
Ei di i dre'n y De'n d'ôl,
Af i i Bresgynni Ganol.

Wedyn, er mwyn y dyn dall
Na ŵyr am y lôn arall,
A honno'n gynt na'r lôn gall,

Na all weld o Enlli i Went
Un dim ond meini mynwent,
A niwl cas o ganol Kent,

Mi dynnwn-ni'n holl binnau
Allan, a thrwy'r mân dyllau
Sy'n dew'n ein hanes ni'n dau,

Daw'r haul, yn wreichion di-ri . . .
Dyna yw ein gwlad i ni:
Tanllwyth o Went i Enlli.

PARABLWYR ENWAU

Pan â'r heniaith i ben y penrhynnau,
I ble'r â'r rhain, y parablwyr enwau,
Ac ar eu min y llinyn llannau – mân,
A Chymru gyfa'n gân yn eu genau?

Heb eu cledd, be' fydd Aberdaugleddau?
Heblaw enw, be' fydd yn y Blaenau?
Os ânt, i ble'r â'r Seintiau? – Tysilio,
A Gwynno, a Theilo o'r Bertholau?

Tyddyn Gwyn, Pantycelyn, y Ciliau,
Clenna, a Pharc y Bala heb olau;
A Thre-saith, a'r Rhos hithau – wedi Gwent;
Heblaw i'r fynwent, i ble'r af innau?

Os aeth yr hedd fu yn yr Hen Feddau,
A'r blaidd o Gas Blaidd a Moel y Bleiddiau,
Os aeth o Fryn y Saethau – fin y saeth,
O'ma yr aeth yr hen Gymry hwythau.

YNG NGRWYNE FAWR

Mae'r co'n cilio o Lwyn Celyn, – Pen Twyn,
A Thy'n y Llwyn. Pob peth yn llinyn.
Cadair, dresel a gwely'n – ymddatod.
A pheidio â bod sy'n dod wedyn.
Ond gwn fod Hafod y Gwenyn – yn ffaith,
A blas iaith ym mharabl y Sowthyn.
Parhau y bydd fel y pry'n – y trawstiau
Pan â neuaddau â'u pennau iddyn'.

GWAHODDIAD

Bu hwn ar herw'n rhy hir,
yn aeafyn annifyr.
Mae'r hen baun, a hithau'n ha',
yn dewis y crys dua'.

Dyn y bu sôn amdano;
Dyn o fardd, a dyna fo.
Mae'r llais ymgymerwr llon?
Mae rasal yr ymryson?

A welodd, fel ap Gwilym,
Y coed ceirios dros y drum?
A ddiflannodd, fel unnos,
Rhag barn ar drên ola'r nos?

A ydi o fel Llywelyn,
Di–ddal tan y diwedd un?
Ai at hwnnw y'i tynnwyd,
I'r glaw oer ar y Graig Lwyd?

Ai i ryw abaty'r aeth
I newid y gwmnïaeth,
I yfed, a chael wedyn
Wely oer fel Guto'r Glyn?

Neu ai'n ei wyllt i'w hen wâl
Llwynog yn y lle anial,
Lle mae brain, a'r drain yn drwch,
I wella yn y t'wyllwch?

Bechod, a'r niwl yn codi,
Na ddôi'n ôl 'run ffordd â ni:
Ein sioffyr yw difyrrwch,
A'r lôn fel arian drwy lwch.

Ar hon mae'r tafarnau'n rhes;
Ar hon bydd llawer hanes;
Ar hon, o'r cyrch chwedlonol,
Y down o hyd yn ein hôl.

Gweiddi'r wyf y gwahoddiad
Ar wan ei glyw, fel corn gwlad,
I ennill yn ôl inni'r
Hwn fu ar herw'n rhy hir.